Mae Robin Bach yn dilyn
y stori hon yn ofalus iawn.
Fedrwch chi ddod o hyd
iddo ym mhob golygfa?

Little Robin follows this story very closely.
Can you find him in every scene?

Cwtshys Nadoligaidd i Leusa a Cadog - M.Ll

NADOLIG CWTSHLYD DOUGLAS

David Melling

Addasiad
Mared Llwyd

“Mae hi’n Noswyl y Nadolig o’r diwedd!”

bloeddiodd Douglas wrth redeg fel y gwynt trwy’r eira. Roedd am wneud yn fawr o bob munud.

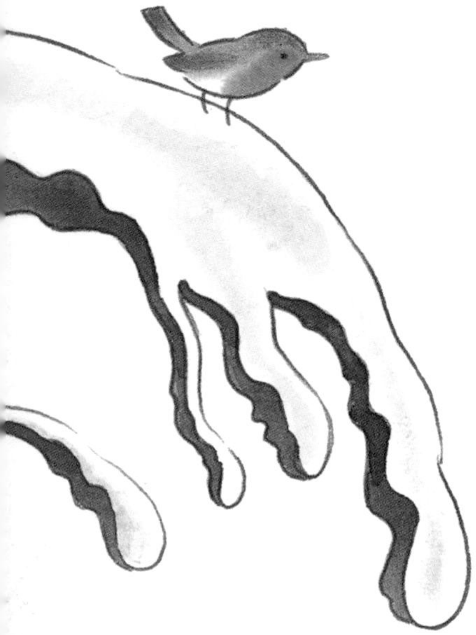

Roedd Douglas mor hoff o roi cwtshys fel yr aeth ati i gwtsho rhai o’r coed. Ond waeth faint o gwtshys a roddai roedd ganddo fwy i’w rhoi o hyd.

‘It’s Christmas Eve at last!’
cried Douglas and he ran through the snow as fast as he could. He wanted to make the most of every single minute.

Douglas was so full of hugs he gave some to the trees. But no matter how many he hugged, he still had more to give.

'PWY HOFFAI GAEL CWTSH NADOLIGAIDD?'

galwodd Douglas.

Gwrandawodd ar ei eco'n bownsio oddi ar y coed.

'DOES ANYONE WANT A CHRISTMAS HUG?' Douglas called.
He listened to his echo bounce off the trees.

Then –**POOMFF!**–
a snowball!

Ac yna –**PWWMFF!**–
pelen eira!

'Nadolig Llawen, Douglas!' chwarddodd ei ffrindiau.
A chyn i Douglas fedru yngan gair

– PWWMFF! PWWMFF! PWWMFF! –

hedfanodd peli eira ato o bob cyfeiriad!

'Merry Christmas, Douglas!' laughed his friends. And before Douglas could say anything – poomff! poomff! poomff! – snowballs came flying in from all sides!

‘Haha, dwi’n edrych fel dyn eira,’ meddai Douglas. ‘Pe baem ni’n hongian addurniadau arnat, byddet ti fel coeden Nadolig yn drwch o eira!’ meddai Dafad Fach.

‘Haha, I look like a snowman,’ said Douglas.
‘If we hung decorations on you, you’d look like a snowy Christmas tree!’ said Little Sheep.

‘Ooo, beth wnawn ni,’ holodd y Cwningod Doniol, ‘adeiladu dyn eira neu addurno Douglas?’

‘Dyn eira yn gyntaf!’ atebodd Douglas.

‘Oooh, what shall we do,’ said the Funny Bunnies, ‘build a snowman or decorate Douglas?’

‘Snowman first!’ said Douglas.

Dechreuodd gasglu eira lond ei ddwylo a'i rolio'n belen eira anferthol. Ond, po fwyaf y rholiodd, y mwyaf y diflannodd ei ffrindiau.

He began scooping handfuls of snow and rolling them into a giant snowball. But the more he rolled, the more his friends disappeared.

'Dyna ni, wedi gorffen!' meddai Douglas â'i wynt yn ei ddwrn, a rhoddodd Gwtsh Dyn Eira i'w ffrind newydd.

'There, finished!' panted Douglas, and he gave his new friend a Snowman Hug.

'Diolch!' meddai'r Dyn Eira.

'Thank you!' said the Snowman.

‘Rwyt ti’n gallu siarad!’
‘Ydyn!’ atebodd ei ffrindiau.

‘You can talk!’
‘Yes, we can!’ cried his friends.

Cafodd Douglas dipyn o fraw a bu bron iddo syrthio.

Douglas yelped and nearly fell over.

Stopiodd pawb chwerthin pan glywsant sŵn tincial doniol.

Everyone stopped laughing when they heard a funny jingle noise.

'Dwi'n meddwl mai o'r coed fan acw mae'r sŵn yn dod,' meddai Dafad Fach.

'I think it's coming from those trees,' said Little Sheep.

Felly i ffwrdd â nhw i weld beth oedd yno.

So they set off to see what they could find.

Ar ben y bryn roedd carw bach yn hongian ben i waered o goeden wedi disgyn. Roedd ei drwyn sgleiniog yn tincial wrth iddo wenu.

At the top of the hill, there was a little upside-down reindeer hanging from a fallen tree. He had a very shiny nose that jingled when he smiled.

Rwdi oedd ei enw ac
roedd ganddo stori i'w
hadrodd am hedfan,
mynd ar goll yn y
goedwig a hud y Nadolig.

His name was Rudi
and he had a story to tell
about flying, getting
lost in the woods and
Christmas magic.

Roedd Dafad Fach yn dal eisiau addurno rhywbeth ac fe bwyntiodd at y goeden ar lawr.

'Ond mae hi'n rhy fawr i ni fynd â hi adre,' ochneidiodd Douglas.

Dyma drwyn Rwdi'n tincial ac yn disgleirio ychydig yn fwy llachar. 'Galla i roi help llaw. I lawr â ni!'

Little Sheep still wanted to decorate something and pointed at the fallen tree.

'But it's too big to get home,' Douglas sighed.

Rudi's nose jingled and glowed a little brighter. 'I can help with that. Let's fly down!'

‘Wyt ti’n siŵr am hyn?’ holodd Douglas.

‘Are you sure about this?’ said Douglas.

'WIIIII!' llefodd Rwdi.

'WHEEEE!' cried Rudi.

'Mae'n wyrth Nadoligaidd!' ebychodd Dafad Fach.

'It's a Christmas miracle!' yelped Little Sheep.

PLYMFF!

'O,' meddai Douglas,
'mae'r goeden wedi torri ychydig.'

PLUMPFFF! 'Oh,' said Douglas, 'the tree's a bit broken.'

Gwnaeth trwyn Rwdi sŵn tincial eto.

'Gyda thipyn bach o hud y Nadolig,' meddai, 'gallwn wneud ein coeden ein hunain.'

Rudi's nose jingled again.

'With a bit of Christmas magic', he said, 'we can make our own tree.'

Felly dyna wnaethon nhw,
ac fe edrychai fel hyn… hyd nes…

So they did, and this is
what it looked like… until…

…y disgynnon nhw i gyd i lawr a gwneud angylion eira yn lle hynny!

…they all fell down and made snow angels instead!

Yna, wrth weld y sêr cyntaf yn tincial, cofiodd Rwdi y dylai fod ar ei ffordd i weld person arbennig iawn.

'Fyddwn ni'n dy weld di eto?' gofynnodd Douglas yn drist.

'Wrth gwrs,' meddai Rwdi. 'Fe goda i law wrth hedfan heibio heno a phob Nadolig arall.'

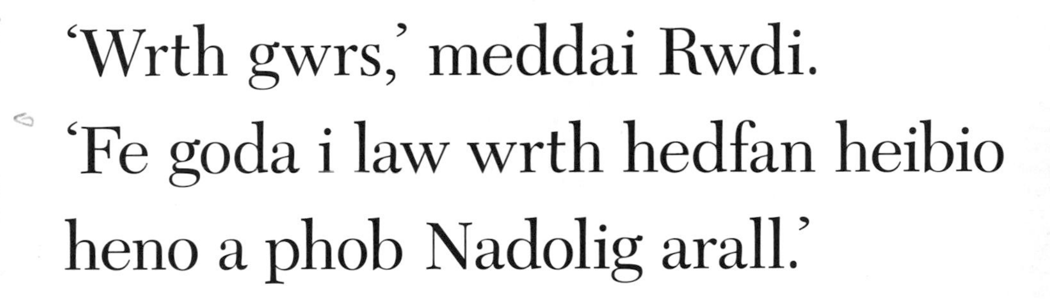

Then the first twinkle of stars reminded Rudi he should be on his way to help a very special person.

'Will we see you again?' asked Douglas, sadly.

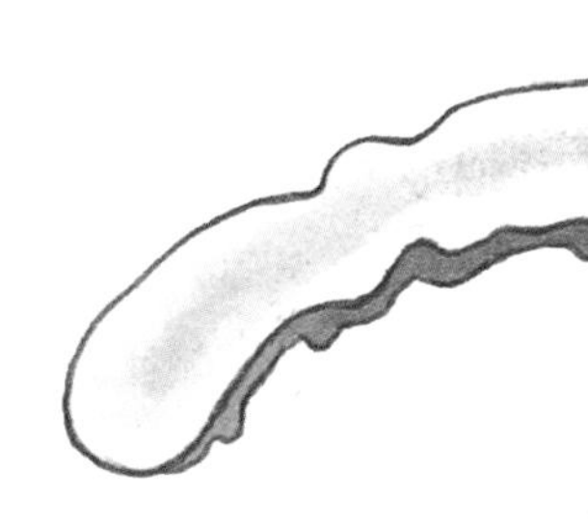

'Of course,' said Rudi. 'I'll wave as I fly by, tonight and every Christmas.'

Felly, pan gyrhaeddodd Douglas a'i ffrindiau adre, cawsant gwtsh cyn gwely a chwilio am Rwdi yn yr awyr.

So when Douglas and his friends got home, just before bed, they shared a hug and searched the sky for Rudi.

'NADOLIG LLAWEN, RWDI!' galwodd Douglas.
'NADOLIG LLAWEN, BAWB!'

'MERRY CHRISTMAS, RUDI!' called Douglas.
'MERRY CHRISTMAS, EVERYONE!'

PETHAU I'W GWNEUD ADEG Y NADOLIG...

Things to do at Christmas time…

Tynnu cracyrs Nadolig

Pull Christmas crackers

Ysgrifennu llythyr at Siôn Corn

Write a letter to Santa

Torri angylion papur

Cut paper angels

Cusanu o dan uchelwydd

Kiss under mistletoe

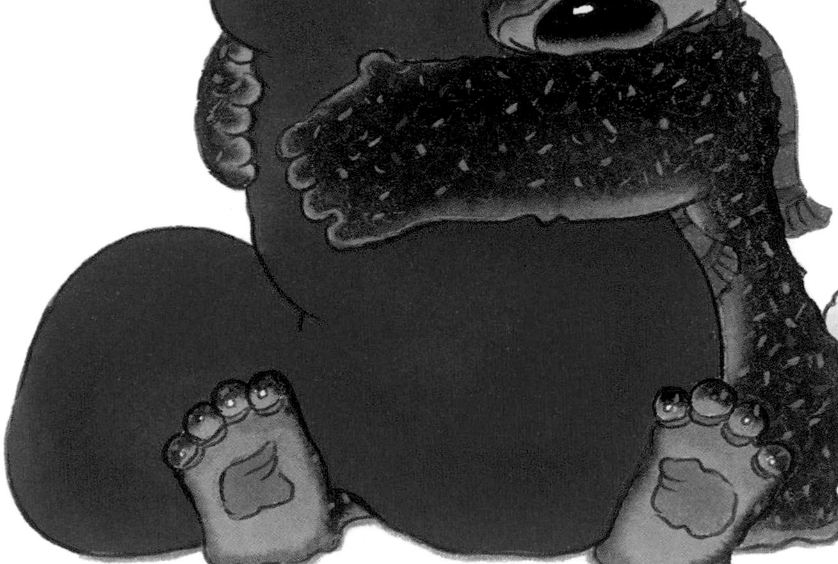

Cwtsho anrhegion

Hug presents

Chwilio am ffrindiau
newydd hudol
Look out for new
magical friends
Adeiladu dyn eira
Build a snowman
Canu clychau
Ring bells
Canu carolau
Sing carols
Addurno'r goeden
Decorate the tree

Y fersiwn Saesneg
Addasiad o *Merry Christmas Hugless Douglas*
gan David Melling
Cyhoeddwyd gyntaf yn 2017 gan *Hodder Children's Books*
sy'n wasgnod *Hachette Children's Group*

Mae *Hodder Children's Books* yn rhan o Hodder & Stoughton,
Carmelite House, 50 Victoria Embankment, Llundain EC4Y 0DZ

Y fersiwn Cymraeg
Addaswyd gan Mared Llwyd
Dyluniwyd gan Elgan Griffiths

Cyhoeddwyd yn y Gymraeg yn 2017 gan Atebol Cyfyngedig, Adeiladau'r Fagwyr,
Llanfihangel Genau'r Glyn, Aberystwyth, Ceredigion SY24 5AQ
atebol.com

Argraffwyd yn PRC